JACA Y EL

D1235748

CAYETANO ENRIQUEZ DE SALAMANCA

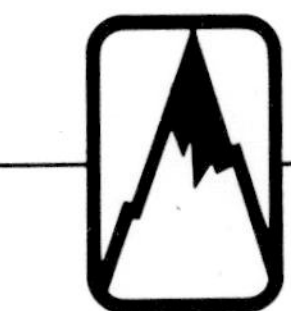

EDITORIAL EVEREST, S. A.

MADRID • LEON • BARCELONA • SEVILLA • GRANADA • VALENCIA
ZARAGOZA • BILBAO • LAS PALMAS DE GRAN CANARIA • LA CORUÑA
PALMA DE MALLORCA • ALICANTE — MEXICO • BUENOS AIRES

Fotografías: Francisco Díez
Oronoz
Cayetano Enríquez

SEGUNDA EDICION

© by EDITORIAL EVEREST
Carretera León-Coruña, km. 5. — LEON (España)
Depósito legal LE-1133-1983
ISBN-84-241-4729-4
Reservados todos los derechos
Prohibida la reproducción total o parcial de cualquiera de las partes de este libro
Printed in Spain Impreso en España

EVERGRAFICAS, S. A. — Carretera León-Coruña, km. 5. — LEON (España)

JACA Y EL ROMANICO

LA CAPITAL DEL ALTO ARAGON

Capital actual del Alto Aragón, es decir de lo más bravío y característico del Pirineo español, Jaca lo era ya hace casi un milenio de Aragón, de un Aragón sin adjetivos limitativos. Y tanto su historia como su realidad presente quedan determinadas por dicha circunstancia. Esta a su vez deriva del hecho de su estratégica posición al pie de la gran cordillera fronteriza, en un cruce de vías naturales de penetración: la antigua calzada que unía Zaragoza con el Bearn por el Somport y la Canal de Berdún que, siguiendo el curso del Aragón, es camino obligado hacia Pamplona y el occidente peninsular. Ambas fueron aprovechadas en los siglos medievales por el «Camino Francés» hacia Santiago de Compostela en su variante aragonesa. Y ambas se utilizaron siempre, pero

1. *La Peña Oroel desde Jaca.*

sobre todo durante la época de las peregrinaciones como arterias del intenso comercio entre las Españas cristiana y musulmana y el resto de Europa. Y donde se dice comercio o peregrinación léase hoy día Turismo de masas, versión actual e hispana de dichas manifestaciones.

Más precisamente, Jaca ocupa una amplia y fértil vallonada estando su casco urbano situado en el cuadrante noroeste del ángulo formado por los ríos Aragón y Gas. Guarda sus espaldas, a mediodía, la imponente y característica Peña Oroel (1769 m.), de perfiles que recuerdan los de Ordesa, y cuya umbría es una importante reserva de pino silvestre. La tradición asegura que en su cumbre se enarboló el primer estandarte aragonés. En sus faldas está el santuario de la Virgen de las Cuevas, que perteneció a un monasterio cirterciense del Bearn, y la ermita de San Salvador donde es fama se consagraban los reyes de este primer núcleo pirenáico de la Reconquista. Al norte parecen (pero sólo lo parecen) cerrar el paso algunos gigantes de los que limitan el valle de Canfranc, como la Collarada (2886 m.), el Pico de Escarra (2760 m.) y las Peñas Blancas (2135 m.).

Por si fuera poco, Jaca es el «cuartel general» para el recorrido de los rincones más impresionantes del Pirineo Central: valles de Ansó y Hecho, valle de Canfranc, valle de Tena y circo de Panticosa, el Serrablo, Parque Nacional de Ordesa, valles de Añisclo, Pineta y Gistaín, circo de Barrosa, etc.

LA CUNA DEL REINO DE ARAGON

Algo tendría este lugar cuando ya desde tiempos prerromanos era sede de las tribus de los *jaccetani*, a los que alude Plinio, que acuñaban moneda de tipo ibérico con la palabra IAK. Después de ser dominada en 195 a. d. C. por el cónsul Marco Porcio Catón, la plaza fuerte de *Iacca* pasó a ser cabeza de la romana *Jacetania*, de límites amplios y muy imprecisos (que curiosamente se están extendiendo en nuestros días...).

Parece ser que fue Jaca el último núcleo importante en ceder ante el invasor musulmán (715) y el primero en apoyar al montañés conde Aznar Galíndez (809-839) para expulsarlo. En este sentido cabe establecer un paralelo muy estrecho entre Jaca y Oviedo así como entre San Juan de la Peña y Covadonga. De estos primeros y eficaces ímpetus por la supervivencia y la independencia de la manera de ser nació el condado de Aragón, que tomó su nombre del curso alto de este río, en las fragosidades pirenáicas. Condado que pudo sobrevivir gracias a la protección de sus vecinos navarros y francos. Hasta que, con motivo de la partición que de su reino realizó Sancho el Mayor en 1033, vino a alcanzar su independencia en la persona de Ramiro I, hijo natural de aquél. Fue Ramiro quien eligió a Jaca como capital de su minúsculo reino que, antes de su muerte, incrementó con los vecinos condados de Sobrarbe y Ribagorza y con las tierras arrancadas al Islam en el Somontano. Contemporáneamente se instala aquí la itinerante sede episcopal de Aragón, como confirma una bula de Gregorio VII, a la espera de la reconquista de Huesca, hecho que se produce en 1096. Antes, en 1064, había sido el primer obispado español en adoptar el rito romano, abandonando el visigótico o mozárabe. Ello puede arrojar bastante luz a los historiadores del arte, tan encrespados cuando de la catedral jaquesa y su cronología se trata. Desde el citado 1096 la seo de Jaca conserva la dignidad de concatedral, lo que no evita continuos roces, tan humanos como lamentables, con la sede de Huesca. Con ellos pretende acabar Pío V que en 1571 segrega las diócesis de Jaca y Barbastro de la histórica oscense, quedando la primera al cargo de doscientos once pueblos.

2. *Una de las copias de las Actas del famoso Concilio de Jaca, que se guarda en la Sacristía de la Catedral.* ▶

oloronensis eps.

archieps auxiensis

Calagorritane eps.

Leiurensis eps.

Jaccensis eps.

rotensis eps.

abba sci iohis de pina

abba cenobii sci andree.

abba asiniensis.

Bajo Sancho Ramírez, hijo de Ramiro I, Jaca y el diminuto reino aragonés alcanzan uno de sus momentos de más solvencia histórica. Tras declararla *ciudad* le otorga el famosísimo *Fuero de Jaca*, en el que posteriormente se inspiraron tantos otros de Castilla y Navarra. Constituyó una verdadera revolución social en su tiempo e hizo posible el estupendo desarrollo del reino de Aragón (media España). Como muestra de su enjundia vale un botón: «Nos, que valemos tanto como vos y podemos más que vos, os elegimos rey con tal que guardéis nuestros fueros y libertades; y entre vos y nos, uno que vale más que vos; si no, no». (De la fórmula de consagración de los reyes.)

Crea a continuación el *Burgo Nuevo* (el «Burnao» en terminología popular) entre la antiquísima «Villa Real», donde se asentaron los primitivos castros y hoy está el convento de las Benedictinas, y el «barrio eclesiástico», centrado en la iglesia de San Pedro (llamada luego «el Viejo» para distinguirla de la nueva catedral) y que se extendía entre ambas y a occidente. Se trataba de una nueva ciudad de *francos*, pensada para fomentar el comercio, que fue rodeada de murallas en 1072. Pronto, la vitalidad de la nueva población desbordó éstas, extendiéndose hacia poniente. Hasta finales del siglo pasado, como demuestran las litografías de Parcerisa, era bien visible todo lo anteriormente expuesto.

A partir de la Edad Media el papel de Jaca en el conjunto hispánico ha sido siempre notable: fábrica de moneda del reino de Aragón, los famosos «sueldos jaqueses», única moneda del reino, que aquí se acuñaba; candidatura favorable a Felipe V; resistencia positiva ante diversas intentonas francesas; escenario de la teatral y famosa «cuartelada» del capitán Galán en 1930, etc. Y hoy centro de turismo; tanto del «masivo» como del «selecto», y una de las ciudades españolas con más inquietudes cul-

◀ **3.** *Torre prerrománica de la iglesia de Santiago.*

CARTIE

5. *Atrio y portada occidental de la catedral.*

turales a pesar de su reducido tamaño (universidad de verano, festival folklórico de los Pirineos, Instituto de Estudios Pirenáicos, del C.S.I.C., continuas manifestaciones artísticas, etc.).

LA MAS ANTIGUA CATEDRAL DE ESPAÑA

Remedando al gran hispanista Walter Starkie cabe asentar que «el alma de Jaca es su catedral». Si a esto se añade que, cronológicamente, es la primera catedral románica de España, de proporciones inusitadas en su tiempo, y a la que Camón atribuye «originalidad encabezadora del arte románico» y que Gudiol considera «monumento capital del románico español», se comprenderá mejor lo que sigue. Ello es que pocos monumentos europeos han desencadenado una tan viva polémica, aún no extinguida, a propósito de su cronología. Y todo debido a que el breve intervalo en disputa es definitivo en la posición que esta magna obra de arte ocupa en la aparición del románico europeo. Todo ello mezclado con desfasados nacionalismos y piques de amor propio de algunos «santones» de la historiografía.

La piedra de la discordia ha sido un discutidísimo concilio convocado por Ramiro I en 1063 y al que, al parecer, asistieron los obispos de Aix, Urgel, Bigorre, Oloron, Calahorra, Leytona, Jaca, Zaragoza y Roda de Isábena, con objeto de situar temporalmente en Jaca la sede episcopal de Aragón y, como consecuencia, acelerar la terminación de la nueva catedral de San Pedro, a la que se alude como en plena construcción y en la que se sitúa la celebración de tal concilio. En otro documento, poco posterior Ramiro I, antes de su inminente muerte, hace ciertas donaciones temporales para permitir la conclusión de las obras y emite consignas muy precisas sobre las características técnicas de éstas, en lo que puede considerarse uno de los más antiguos documentos para la historia de la Arquitectura. Copias de ambos fundamentales pergaminos se encuentran hoy en el Ayuntamiento («Libro de la Cadena») y en la sacristía catedralicia.

No hace mucho, Ubieto Arteta puso de manifiesto ciertas interpolaciones en ellos (cosa frecuentísima en toda la Edad Media en todos los países). Ello le sirvió como punto de apoyo apara dudar casi hasta de la misma existencia de la sede jaquesa. (Existían los nefandos precedentes de ciertos «concilios» que se inventaron los monasterios de Leyre y San Juan de la Peña, en aras de su mutua competencia). Por su parte, un autor ultrapirenáico ha llegado a decir que el edificio a que se refieren las Actas del Concilio era otro más antiguo que el

4. *Fachada meridional de la Catedral, desde la Plaza del Mercado.*

que hoy tenemos ante la vista (sin pararse en que ábsides y porche occidental serían los mismos en tal caso). Y así podríamos citar opiniones para todos los gustos. Casi todas tendentes a demostrar que el primer templo aragonés no es tan antiguo y deriva de modelos precisamente franceses.

A la vista de todo ello, la posición más sensata y equilibrada induce a creer que las obras se iniciaron entre 1033 y 1054, coincidiendo con la instauración en Jaca de la Corte y Sede Episcopal aragonesas. Y se concluirían en su etapa románica (las otras aún no han cesado) hacia 1100. Se inició la construcción por la cabecera, que es la variante que separa el románico del prerrománico, consecuencia del cambio de liturgia, y por la portada occidental y la torre que la cobija. Con la muerte de Ramiro I y ante los titubeos consustanciales con todo nuevo régimen, el arquitecto, constructores y escultor (procedentes de Italia y de formación clásica), buscaron aires más propicios siguiendo el Camino de Santiago. Y así ya hacia 1066 andaban trabajando en San Martín de Frómista, magistral derivación de Jaca, en Santa Cruz de las Serós, en Oloron y Loarre. En Santa María de Iguácel ya andaba un aprendiz español haciendo sus pinitos en 1072. El escultor inicial dejó algunos capiteles sin terminar que hubo que aprovechar «tal cual» para proseguir las obras de las naves; como aún puede comprobarse.

Concluyamos diciendo, con F. Iñíguez, que el románico «se crea en San Isidoro *(de León)*; viene detrás y en su misma línea e importancia la catedral de Jaca.»

LA CATEDRAL: PARADIGMA DEL ROMANICO ESPAÑOL

Pese a las ya citadas polémicas, la catedral de Jaca es el núcleo más importante y primitivo, al menos a este lado de los Pirineos, del románico en su versión «europea», por distinguirlo de los procedentes mozárabes y catalano-lombardos. Aún teniendo en cuenta sus innegables vínculos de parentesco con estos últimos.

A su herencia clásica (italiana es un adjetivo que no tenía sentido en aquella época) debe la planta basilical, de tres naves con crucero que no se señala en planta, y el nártex, como prolongación de la nave central, en el hastial de poniente. Sobre este último se alza la torre-campanario, raro artilugio en la península, sin más antecedentes que algunas torres mozárabes de las que hay buena muestra en las proximidades de Jaca y en el Serrablo. Aún más característico de esta explosión del románico en este rincón pirenáico es la escultura, que pone soberbio contrapunto a la seca adustez de este templo. En frase de F. Iñíguez: «el otro gran paso hacia el románico lo da la escultura y la ornamentación sistemática y organizada, que da carácter a las iglesias del Camino de Peregrinos». Por su parte Gudiol afirma de la escultura jaquesa que es «desenvuelta y airosa en extremo, tanto que admira su mayoría de edad y perfección en aquel reinecito pirenáico del siglo XI, donde para levantar iglesias rurales habíase hecho preciso el apoyo de alarifes moros».

Directa o indirectamente, puede decirse que todo el románico español es heredero de esta «pasmosa catedral de Jaca». El crismón de la portada occidental vino a convertirse en el símbolo distintivo del románico aragonés (se han contado más de cincuenta en las provincias de Huesca y Navarra). El ajedrezado en cordones y cornisas, el capitel gemelo cobijado por un solo cimacio, las ventanas con archivolta de baquetón, trasdós ajedrezado y finas columnillas con pequeños capiteles, entre otros elementos, llegaron a convertirse en característicos del románico (aún en sus fases más tardías) a uno y otro lado de los Pirineos. Y hasta la maciza

6. *Tímpano de la portada occidental de la catedral.* ▶

7, 8 y 9. *Capiteles de la portada occidental.*

torre inspiró casi inmediatamente la de la catedral de Oloron-Sainte-Marie. El nexo común entre Jaca y San Isidoro de León, en cuya creación hubo mutuos y constantes intercambios, radica en el tratamiento del desnudo humano a la manera clásica, de clarísimo origen italo-bizantino. Su impacto se dejó sentir pronto en monumentos tan insignes como el monasterio de San Salvador de Núcares (Palencia), Santa Cruz de la Serós, San Pedro el Viejo de Huesca, San Martín de Frómista, Loarre y San Millán de Segovia, entre otros.

Resumamos, con Camón Aznar, diciendo que «aquí aparece por primera vez una portada románica con su sistema de arquivolta y tímpano. Aquí se presenta ya en su plenitud imaginativa todo el elenco de molduras, frisos, temas ornamentales que han de constituir la decoración románica».

LA CATEDRAL VISTA POR FUERA

Vista desde el exterior, la seo de Jaca es adusta y maciza, poco llamativa. La limitan gruesos paramentos, parcos en huecos y alegrados sólo por alguna imposta y abundantes canecillos en todas las cornisas. Destacan entre estos los de rollos, creación jaquesa de origen islámico (¿estarán emparentados con los cilindros de ciertos ábsides mozárabes de la región?) y que luego se dispersarían en todas direcciones. La torre, destinada a soportar las ocho campanas de que hablan las Actas del Concilio de 1063, tiene, en su reciedumbre, más valor arqueo-

10. *Capitel de la Burra de Balaán en la portada meridional.*

lógico que estético. Señalemos también que son multitud las edificaciones posteriores que han contribuido a despojarla de toda perspectiva. Aunque no carece de encanto el rincón que se forma ante la fachada meridional, conocido como plaza del Mercado, por el que allí sentó sus reales desde hace siglos, bajo típicos soportales.

De los tres ábsides de la cabecera, de mayor altura y diámetro el central, no se conserva en su pureza original más que el de la Epístola. Está dividido en tres cuerpos por sendas impostas de tacos y verticalmente por una columna sobre contrafuerte. Es precioso el ventanal, de grueso baquetón semicircular que apoya sobre columnas con capiteles y está enmarcado por fino cordón ajedrezado. También es todo un poema la rica cornisa de tacos sobre modillones y metopas de riquísima decoración: cabezas de animales reales y fantásticos, danzantes de aérea clámide, encantadores de serpientes, etc. También en el ábside central, enorme pecado del siglo XVIII, se han conservado los canecillos y cornisa del primitivo.

Otro de los elementos característicos de esta catedral, tan antiguo como la cabecera, es el pórtico occidental. Consta de dos tramos cubiertos con medio cañón, muy aplastado por el peso que soporta, y en cuyos muros se han colocado varias estatuas de piedra procedentes del último retablo mayor. Al fondo se abre la originalísima portada mayor («magna porte» la llama Ramiro I) con dos archivoltas de bocel alternadas con otras planas, todo bajo una fina línea de

11. *Capitel de David y los músicos.*

tacos. Los cuatro capiteles son una maravilla de naturalidad y movimiento, uno de tema vegetal y los otros historiados, con desnudos del más puro clasicismo. Centra todo el interés el tímpano con el lábaro o crismón en su centro. Es este símbolo de tradición paleocristiana y en sus tiempos se utilizó para diferenciar los templos católicos de los arrianos. En Jaca aparece por vez primera al oeste de la península itálica. Para Gómez Moreno es la última prueba de la tradición española, opuesta a las imágenes. Se trata de un bajorrelieve en forma de segmento circular, al modo de la distribución iconográfica de los beatos mozárabes, con el anagrama griego de Cristo (completado por un diámetro horizontal) y las letras alfa y omega, todo ello inscrito en una circunferencia y escoltado por dos leones, símbolo apocalíptico de Cristo. El interior de la circunferencia está orlado por ocho estilizadas margaritas, representación oriental de las formas eucarísticas. En la periferia del círculo se lee: . HAC IN SCVLTVRA, LECTOR, SIC NOSCERE CVRA: P, PATER, A GENITVS, DVPLEX EST SPIRITVS ALMVS: HII TRES IVRE QVIDEM DOMINVS SVNT VNVS ET IDEM («Lector, en esta escultura reconocerás lo que sigue: P designa al Padre, A al Hijo, y la

12. *Capitel de David en la Lonja Chica.* ▶

13. *Capitel del sacrificio de Isaac.*

doble [letra] al Espíritu Santo. Los tres son en verdad un único y mismo Señor»). Sobre el león de la izquierda, que respeta a un hombre caído, se lee: PARCERE STERNENTI LEO SCIT, XRISTVSQVE PETENTI («El león se apiada del que se prosterna a sus pies y Cristo del que le invoca»). Sobre el de la derecha, por fin, que aplasta bajo sus zarpas un oso y un basilisco, dice: IMPERIVM MORTIS CONCVLCANS EST LEO FORTIS («el poderoso león aplasta al imperio de la muerte»).

Por su parte, la portada meridional perdió su carácter en una modificación del siglo XVI. No obstante son notabilísimos los capiteles que sustentan la archivolta: uno en que se representa el sacrificio de Isaac, «aún más cuidada la calidad que en los mejores sarcófagos paleocristianos», según J. Gudiol, y «la obra maestra de Jaca» para Gaillard. En el otro se efigia la bíblica escena de la burra de Balaán, también inefable. Frente a esta portada se alzó en tiempos modernos un porche cubierto, la llamada «Lonja Chica», aprovechando siete capiteles y fustes (estos últimos hubo que prolongarlos) de muy variada factura y procedentes en su mayoría del antiguo claustro y alguno, como el de David, del desaparecido coro alto. Son de resaltar entre ellos el ya citado de David, un verdadero homenaje a la música, y el que narra la historia de San Sixto, única representación iconográfica de este papa ateniense que se conoce anterior al siglo XIV. Es obra del maestro de doña Sancha. Otra serie de capiteles, con apocalípticos ángeles, tienen reminiscencias asirias.

En resumen, contrastando con la severidad general, el exterior catedralicio ofrece una verdadera y única antología de la mejor escultura románica.

14. *Capitel de San Sixto.*

LAS NAVES CATEDRALICIAS

Podríamos resumir la impresión que produce el interior de la catedral aludiendo a sus extraordinarias dimensiones para una obra tan remota, sólo superada por los llamados «templos de la Peregrinación», la gran calidad de la escultura y... la oscuridad, a pesar que ésta se intentó remediar en el siglo XVI, pero que se malogró al estar casi todos los ventanales románicos cegados.

Lo primero que ha chocado siempre a los historiadores del arte ha sido la alternancia de pilares cruciformes (unos con columna sencilla y otros doble) y columnas, con antecedentes en centro-Europa y en el oriente italiano y que no responden a la disposición tectónica. Esta última cuestión ocupa el segundo lugar en las polémicas tras el asunto de la cronología. Los autores no se ponen de acuerdo en si las naves estuvieron cubiertas con medios cañones, como ocurre con los brazos del crucero y los tramos rectos de los ábsides y como dispuso taxativamente Ramiro I («quod ejus tectum fiat et perficiantur de crota lapidea sive boalta per omnes tres naves...»); o si las cubiertas eran de madera y aún están ocultas por las actuales bóvedas y hasta con pinturas como las de Sigena, como sugiere A. San Vicente; o, última hipótesis, si se trataba de bóvedas de arista a base de ladrillo, únicas que podrían aguantar los soportes que vemos. En cualquier caso, la primitiva cubrición fue sustituída en el siglo XVI por tardías bóvedas de crucería: en 1520 las laterales, obra de Juan de Segura y en 1598 la central, debida a Juan de Bescós.

Tampoco hay acuerdo a propósito de la esbelta cúpula que se alza sobre el crucero apoyada en bien calculadas trompas cónicas y construída a base de cuatro nervios que

15. *Cúpula del crucero.*

se cruzan en el tímpano y arrancan de los centros del octógono. Para unos es de raigambre cordobesa y, a través de Jaca, se extendería por otros puntos de Europa. Para otros, como Camón y Gudiol, se trata de una audaz e imaginativa solución constructiva que se anticipa en siglo y medio al arte ojival y no tomaría carta de naturaleza hasta no venir con el marchamo francés. Esta última hipótesis parece más de acuerdo con la realidad.

Los capiteles, de grandes proporciones, son de maravillosa factura y transpiran clasicismo en el plegado de los ropajes, anatomía de los desnudos, peinados, etc. Se citan tres diferentes artistas como autores de estas esculturas: el maestro de Jaca (el más antiguo), el maestro Esteban (el mismo que trabajó en Compostela y Pamplona) y el maestro de doña Sancha (autor del sepulcro de esta infanta, del capitel de San Sixto y de otros capiteles en Santa Cruz de la Serós y San Pedro el Viejo de Huesca). A otro autor debe corresponder una serie de capiteles, quizá los más perfectos y clásicos, encabezada por el que se conserva en la iglesia de Santiago como pila benditera y a la que pertenecen el capitel derecho del altar de la capilla del Pilar y otro de las arquerías de la Sala Capitular (el más próximo a la puerta). Desde el punto de vista de su temática hay tres grupos de capiteles: 1) los vegetales, derivados del capitel corintio; 2) los de entrelazos, con motivos de un león y un hombre desnudo o pájaros enfrentados intercalados; 3) los historiados, de complejo simbolismo, que Iñíguez ha relacionado con la escatología musulmana.

De los ábsides, los laterales se conservan muy bien siendo de extremada simplicidad sin más ornamentación que tres impostas abilletadas y los capiteles del ventanal. El central en cambio fue bárbaramente demolido en 1790 para alargar desmesuradamente el presbiterio, que fue decorado al fresco por fray Manuel Bayeu. En 1918 se trasladó aquí el coro, sillería y órgano incluidos, desmontando para ello el retablo mayor que se había alzado en 1598, y el antiguo coro alto, que estaba en el centro de la nave central.

En los muros laterales hay ventanales de arco de medio punto sobre fustes esquinados con derrame interior. Desgraciadamente no se han repuesto los capiteles originales que andan dispersos por diferentes lugares de la catedral y en manos de particulares. Cuando se construyeron las actuales bóvedas se abrió una nueva serie de ventanales en la nave central y a la altura de éstas para remediar el viejo problema de la oscuridad de este templo. Pero en el mismo siglo se habían cegado o hecho desaparecer los primitivos...

16. *Nave de la Epístola de la catedral.*

17. *La Capilla Mayor.*

18. *Interior.*

LAS CAPILLAS DE LA CATEDRAL

Todas las capillas de esta catedral son del siglo XVI o aún posteriores y, aunque alteran la fisonomía románica de este hermoso templo, contienen muy notables obras de arte con lo que se compensa en parte el desafuero.

19. *Detalle de la capilla de San Miguel.*

Capilla mayor

Como ya se ha dicho, el presbiterio se transformó a principios de siglo en coro, con la sillería, de no mucho valor, adosada a su perímetro y por encima de la cual corre una pequeña tribuna. Preside el conjunto un buen órgano fechado en 1706. Bajo la mesa del altar hay tres urnas de plata: la central,

20. *Grupo central del retablo de la Trinidad.*

21. *La capilla de San Miguel.*

repujada por José Aznárez en 1731, contiene los restos de Santa Orosia, patrona de la diócesis; en la de la derecha están los de los santos Voto y Félix y en la de la izquierda los de San Indalecio. Estas dos últimas son también del siglo XVIII y proceden del monasterio de San Juan de la Peña.

En el crucero hay dos interesantes púlpitos del siglo XVI policromados y estofados.

22. *Capilla de San Jerónimo.*

Capilla del Pilar

En el ábside de la Epístola, cerrado por una preciosa reja románica, se encuentra la sencilla y bella capilla del Pilar, antes llamada del Rosario, en sustitución de la que bajo esta advocación había en el claustro, ocupada hoy por el Museo. La mesa del altar se apoya sobre dos capiteles románicos, procedentes seguramente del claustro. El de la derecha, sobre todo, es estupendo: se

23. *Retablo de la capilla de Santa Ana.*

representan en él cuatro figuras desnudas en cuclillas, enormemente expresivas y de un profundo clasicismo. Está emparentado, como ya se ha dicho, con el de la iglesia de Santiago y otro de la Sala Capitular. También es notable el que sirve de peana a la imagen de la Virgen. De menos categoría son otros cuatro, procedentes de los ventanales, que sostienen las credencias. En ambos muros hay varias lápidas sepulcrales de piedra negra correspondientes a diversos prelados del siglo XVII.

Capilla de San Miguel

En el hastial meridional del crucero se encuentra lo que Camón considera «una de las muestras más precoces que existen en España del Renacimiento italiano en su purísimo toscano». Se abre esta capilla con una maravillosa portada plateresca (1523) que «es una espléndida pieza de arquitectura, un soberbio arco de triunfo con proporción y medidas arquitectónicas, donde todos los miembros tienen el peso correspondiente a su función» (F. Chueca). Preside la capilla un retablo de madera, también plateresco, con un San Miguel en la hornacina central, predela con cinco tallas, otras cuatro tallas de los Santos Juanes, San Gabriel y San Esteban en las calles centrales, un medallón con la Virgen y el Niño y rematado todo ello por un Calvario.

La parte arquitectónica es obra del retablista florentino Juan de Moreto que «utiliza las coronas de frutos ceñidas por cintas, las tabletas ansadas antiguas para inscripciones, los festones sostenidos por niños, los cuernos de la abundancia, las sartas de fruta, las hojas de yema esférica, etc.». La imaginería de piedra de la portada, de excepcional calidad y en la que sobresalen un San Cristóbal y un San Roque, es de Juan de Salas y la de madera, del retablo, corresponde a Gabriel Joly y Gil Morlanes «el Mozo». En la parte superior de la portada dos inscripciones nos informan: ESTA . OPRA . A FECH/O . M̄ . IŌHA . DE MORET O . FLORENTINO ./Ā . DOMIN O . M . D . XXIII y ESTA CAPILLA MANDO/ HAZERE EL ONRADO/ . IOHA . DE LASCA. MERCA/DERO . I CIUDADANO . DE/ LA CIUDAT. DE JACCA.

Capilla de San Sebastián

Próxima a la anterior se encuentra esta otra capilla, en la que se entierra a los obispos jaqueses. Tiene una portada góticoflorida, similar a otras varias que hay en la catedral, y un retablo con interesantes pinturas de aire ribereño atribuidas a Valentín Pedro y Theniers.

Capilla de la Anunciación

En una hornacina abierta en el muro de la Epístola, a los pies de la catedral, se contiene un retablo plateresco de talla (siglo XVI) centrado en este Misterio y que Camón atribuye a Gabriel Joly.

Capilla de Santa Ana

Esta capilla, construída a los pies de la nave de la Epístola, se cubre con bóveda estrellada y contiene un retablo gótico-renacentista (principios del siglo XVI) de preciosos doseletes y guardapolvos. Tiene cinco tablas, de regular calidad, en la predela y otras dos en el cuerpo principal. Ocupa el centro un bello grupo escultórico de Santa Ana, la Virgen y el Niño, advocación de gran devoción en la comarca, junto con las de Santa Orosia y Santa Elena.

Capilla de la Trinidad

Simétrica de la anterior, a los pies de la nave del Evangelio, esta capilla se abre con una estupenda portada renacentista, a la que la inmediata proximidad de la capilla de Santa Orosia quita perspectiva, con monumentales representaciones de la Virgen y las Virtudes en el tímpano y jambas, respectivamente. Pero aún más notable es el retablo de esta capilla (fundada en 1569 por Martín de Sarasa y Juan de Aranda) al que Camón considera «la gran obra plástica que alberga esta catedral y una de las más hermosas de toda la escultura europea de la época trentina... obra que por sí misma inmortalizaría esta catedral». Se trata de un retablo de alabastro en forma de arco de triunfo de orden corintio con potente entablamento, realizado hacia 1573 por Juan de Anchieta. Llama la atención, en la hornacina central, un magistral grupo escultórico en que se representa a la Santísima Trinidad. Todos los autores han coincidido en ver un profundo parentesco entre esta obra y las de Miguel Angel, aunque sin el pesimismo que caracteriza a las de éste.

24. *El sepulcro del Obispo de Alguer.*

No vendría mal una más potente iluminación para mejor admirar esta singular obra de arte.

Parroquia de Santa Orosia

Junto a la capilla anterior y perpendicularmente a la nave del Evangelio está la capilla de Santa Orosia, que funciona como parroquia. Es una nave de bóveda ojival con un retablo barroco del siglo XVIII dedicado a la titular y que sustituyó a otro que en 1473 se encargó a Juan de la Abadía.

Sepulcro del obispo de Alguer

Siguiendo por la nave del Evangelio y dejando atrás algunos retablitos sin excesivo valor encontraremos en el hastial septentrional del crucero otra de las estupendas creaciones del plateresco jaqués: el sepulcro de don Pedro Baquer, jaqués que fue obispo de Alguer (Cerdeña) y que falleció en 1573. Es una hornacina de arco de medio punto entre dos columnas corintias que sostienen un gran entablamento coronado por un frontón. Sobre el sarcófago, decorado con cinco figuras en hornacinas, está la estatua yacente del prelado Encima, y en el muro del fondo, un bello relieve de la Asunción.

Este precioso monumento funerario está muy relacionado con el estilo de Juan de Anchieta y es contemporáneo de la capilla de la Trinidad por lo que bien pudiera ser obra de este genial artista.

Capilla de San Jerónimo

En el ábside del Evangelio, aún mejor conservado en su interior que el de la Epístola, se alberga esta capilla a la que da paso una bella reja románica de espirales. Ocupa el tambor del ábside un gran retablo renacentista con tendencias barrocas, fechado en 1573. Quizá lo más notable es el equilibrio entre la prolija decoración, los huecos y las figuras que los ocupan. Consta de banco, sotobanco y dos cuerpos centrales rematados por un Calvario. Ocupa la hornacina central una gran talla de San Jerónimo. La escultura de este bello retablo recuerda el estilo de Gabriel Joly de cuya obra ya hemos visto otros notables ejemplares en esta catedral.

Sacristía

Se pasa a esta dependencia, ocupada anteriormente por la capilla de San Nicolás y Santa Lucía, por una puertecita, debida a Juan de Moreto, que se abre en el muro de la capilla de San Jerónimo. En su interior, como no es infrecuente, queda absorbido el ábside del Evangelio. Mencionaremos una buena cajonería del siglo XVI y sobre ella varios lienzos con escenas de la vida de Santa Orosia debidos al pintor oscense Luis Muñoz (1780) y que proceden de un antiguo retablo dedicado a la Santa. Aquí se guarda también una buena colección de orfebrería litúrgica entre la que destacaremos una gran custodia procesional del siglo XVII; un relicario de San Grato, obispo de Oloron (siglo XVII) y un busto de plata de San Pedro cincelado por José Aznárez (1723). Pero el máximo interés se centra en dos copias de las actas del famoso Concilio de 1063, una del siglo XI y otra del XII, realizadas en San Juan de la Peña. Están miniadas con unas ingenuas figurillas representativas de los reyes, obispos y abades que en él tomaron parte. Así mismo se conserva la Bula del papa Gregorio VII confirmando la creación de la sede jaquesa, subsecuente a dicho Concilio.

También en el *archivo* catedralicio se custodian interesantes pergaminos de diversas épocas así como algunas notables tallas góticas.

EL MUSEO DIOCESANO DE ARTE ROMANICO

Hasta hace bien poco Jaca era etapa imprescindible para los amantes y estudiosos del románico dada la monumentalidad y precocidad de su catedral y, sobre todo, por el plantel de esculturas de los siglos XI y XII que encierra. Desde 1970, en vísperas del último Año Santo Compostelano, cuenta Jaca además con un inestimable tesoro de pintura mural románica y de transición. Quizá la mejor colección española después de la que posee el Museo de Arte de Cataluña. En dicho año, en efecto, se inauguró el Museo Diocesano en el claustro y capillas anejas de la catedral. Su creación se debe a la meritísima labor del sacerdote don Jesús

25. *Museo Diocesano: fresco de Susín (s. XII).*

26. *Detalle de los frescos del ábside de Ruesta (s. XII).*

Auricinea , que recorre incansablemente los innumerables y perdidos pueblecitos de la Diócesis, alentado por el prelado doctor Hidalgo Ibáñez y con la eficaz colaboración técnica del gran restaurador don Ramón Gudiol, especialista en el traslado de murales a lienzo. Esta gran serie, aún no concluída, era totalmente desconocida hasta ahora (y aún sigue siéndolo después de la creación del museo) a pesar de constituir un hito importantísimo en la historiografía del arte románico hispánico y europeo. Gudiol habla ya de una «escuela de Jaca» que se desarrolló paralelamente a la gran escuela de escultores y constructores románicos. Con la reunión y preservación de este homogéneo grupo de obras, «literalmente sensacional», se crea un nuevo centro de estudios para los investigadores de la civilización medieval y un paraíso para los amantes del arte.

Desde otro punto de vista, consuela pensar que, en una época como la nuestra, incapaz no sólo de crear obras de arte comparables a las de los siglos anteriores sino, al menos, de conservar y apreciar las que de ellos hemos heredado, surjan de vez en cuando «guerrilleros» aislados que con su entusiasta, metódica y abnegada labor estén descubriendo y rescatando un tesoro como el que hoy alberga este Museo Diocesano de Jaca.

Se ha instalado éste en las crujías del claustro, bárbaramente destrozado en el siglo XVIII para levantar otro totalmente anodino que no conserva del primitivo, del siglo XII, sino algunos cimacios e inscripciones a más de las arquerías del ingreso a la Sala Capitular, éstas totalmente cegadas. En esta parte se ha recogido una gran variedad de retablos, tallas, pinturas, capiteles y otra serie de restos artísticos procedentes de la catedral misma y del resto de la Diócesis. El Museo Románico propiamente dicho ocupa en precario las que fueron capillas del Pilar y del Entierro del Salvador,

27. *Abside de la iglesia de Ruesta (s. XII).*

en el ala norte del claustro. Se requerirá el entusiasmo y la colaboración de muchos para procurarle las instalaciones que se merece.

Y dicho esto penetremos en este flamante Museo por la puerta que, junto a la capilla de Santa Orosia, se abre en la nave del Evangelio. Es esta una bella obra góticoflorida (siglo XV), muy decorada, formada por un arco conopial entre dos pilastras coronadas por pináculos. En la de la izquierda hay dos imágenes de buena factura bajo doseletes, de estilo muy isabelino, faltando las equivalentes de la derecha. Y vamos ya a pasar breve revista a las pinturas románicas, ateniéndonos a su procedencia geográfica:

Susín: Lo más antiguo que por ahora exhibe el Museo (primer cuarto del siglo XII) procede de una pequeña localidad del Serrablo, junto a Oliván, a orillas del río Gállego. Se trata de un pequeño resto de pintura mural al fresco en que se ven dos ingenuos y rudimentarios personajes que apoyan su cabeza en la mano derecha sobre un fondo de franjas coloreadas. Gudiol atribuye su paternidad al que llama «Maestro del Juicio Final», pintor español, probablemente formado con los de Tahull y Maderuelo y autor de algunas pinturas en la iglesia de Santa María de la primera de estas localidades. Los colores son poco variados aunque están bien conservados. La iglesia de origen tiene una cabecera mozárabe de finales del siglo X.

Ruesta: Se trata en este caso del ábside reconstruído de la iglesia de San Juan Evangelista de Ruesta (provincia de Zaragoza), totalmente decorado con frescos de la segunda mitad del siglo XII. Por su original colorido y dibujo «con una cierta tendencia ornamentalista y un sabor popular», es uno de los conjuntos más atrayentes del Museo. Gudiol destaca la jovialidad y optimismo de su autor frente al hieratismo típico del románico. Centra la bóveda un Pantocrátor dentro de una mandorla, bastante irregular, rodeado por las lámparas apocalípticas. Fuera de ésta aparecen cuatro ángeles, enmarcados en orlas circulares, que sostienen los símbolos del Tetramorfos y serafines en los ángulos. En la parte cilíndrica del ábside se representa un Apostolado de gran vivacidad compositiva. Tanto el intradós como las albanegas del arco triunfal están profusamente decorados. Como suele ser normal, la parte mejor conservada es la mitad meridional de éstas «verdaderamente extraordinarias pinturas».

Al realizarse el traslado de estos frescos, se descubrió que detrás de la actual cabeza del Pantocrátor, existía una versión anterior de la misma de la que el artista no debió de quedar satisfecho, a pesar de que, en ella se advierte su gran dominio del dibujo y de la técnica y de la gran expresividad de este rostro, dentro del mayor hieratismo románico. Parece que había una versión aún anterior de tal cabeza que los restauradores no se atrevieron a desprender por temor a perjudicar al resto.

Bagüés: Este ciclo de frescos (con toques al temple), «una de las mejores y más completas pinturas murales que existen en la Península Ibérica», data de principios del siglo XII y procede de la parroquial del pueblo zaragozano de Bagüés (de mediados del siglo XI). Se trata del conjunto de mayores dimensiones del Museo y quizá de los conocidos en España, aunque gran parte de los frescos, que estaban ocultos, han desaparecido con el transcurso del tiempo y bajo las manos pecadoras de la incultura. En efecto, esta decoración pictórica ocupa todo el ábside, presbiterio, laterales de la nave y tímpano interior de la portada septentrional así como el intradós de las ventanas.

28. *Frescos de la parroquial de Bagüés.* ▶

29. *Detalle de un lateral de la nave de Bagüés.*

30. *Bagüés: escena del «Prendimiento».*

En el Museo se ha reconstituido este conjunto en su disposición original, como podrá apreciarse en las ilustraciones. La distribución de las pinturas y hasta su temática recuerdan las del ábside de San Justo, de Segovia. El llamado «Maestro de Bagüés», «figura cumbre entre las descubiertas por la misión jaquesa», se caracteriza por su primitivismo, no exento de una clara intención narrativa y, sobre todo, por el curioso efecto de perspectiva que busca, siempre dentro de la bidimensionalidad, colocando grupos de personajes casi superpuestos, con un pequeño decalaje que hace aparecer todas las cabezas. Los colores no son muy variados pero sí bien contrastados, apareciendo el verde como fondo habitual de las numerosísimas escenas representadas. El dibujo, realizado con trazos rojos o negros, es muy vigoroso y de gran poder expresivo, casi dramático, como corresponde al inveterado realismo ibérico. En la bóveda del ábside se representa un tema insólito en la iconografía románica: la Ascensión del Señor, en vez del tradicional

31. *Bagüés: el «Buen Ladrón».*

Pantocrátor, es la que ocupa la mandorla. Debajo, y a ambos lados del ventanal, un Apostolado en actitud de mirar hacia arriba completa el sentido de la representación. En el cuerpo inferior se efigia una completa Crucifixión, con los dos ladrones incluidos.

Las numerosas escenas de los muros laterales, de riquísima composición, sigue un orden cronológico en la narración de los más característicos pasajes del Antiguo y Nuevo Testamento que va de izquierda a derecha y de arriba a abajo, cruzando de muro a muro. Resaltemos, entre otras muchas, la escena del Prendimiento, de gran verismo y originalidad.

Navasa: De los frescos de la iglesita románica de Navasa, localidad situada diez kilómetros al SE. de Jaca, se conserva en bastante buen estado, salvo el rostro, el Pantocrátor del cascarón del ábside que, excepcionalmente, no está enmarcado en la clásica mandorla. A los lados se encuentran las representaciones de los evangelistas así como arcángeles y profetas. El tramo cilíndrico se ilustró con escenas de la infancia de Jesús de las que subsisten, en muy aceptable estado, una «Epifanía» y una «Huída a Egipto». El dibujo de estas composiciones, que datan de finales del siglo XII, es sobrio y firme con cierta tendencia a lo narrativo y precursor del inminente «estilo lineal». Los bellos colores, entre los que destaca el azul claro, están bien armonizados. Del estilo del maestro de Navasa, que también trabajó en Roda de Isábena, ha dicho J. Gudiol, único autor que hasta ahora ha estudiado esta soberbia colección jaquesa: «Formas monumentales, de gruesos trazos y calidad plana constituyen ese arte recio que representa el eco de una fórmula lejana —la de Bizancio— transformada a través del espacio y el tiempo».

Sorripas: Estas pinturas se han despiezado del ábside de la iglesia de San Salvador de Sorripas, en el Serrablo, muy cerca de Sabiñánigo, y datan seguramente de finales del siglo XII. Presentan una gran simplicidad de dibujo, como obra popular que es, y pobreza poco frecuente de colores. Destacaremos entre las escenas representadas una emotiva Anunciación, un «Noli me tangere» y un San Pedro llevando al hombro una enorme llave.

Benedictinas de Jaca: La cripta de la iglesia del Salvador, ocupada desde el siglo XVI

MARIA

32. *Navasa:* «*Epifanía*» *y* «*Huida a Egipto*».

33. *San Salvador de Sorripas: «Anunciación» (s. XII).*

34. *Benedictinas de Jaca. «La Visitación»* (Ñ. 1200).

por las benedictinas de Santa Cruz de la Serós, estaba decorada con una serie importante de pinturas murales, recientemente trasladadas a este Museo, en el que señalan la transición del románico al gótico. Esta fórmula de transición, conocida con el nombre de «estilo lineal», se caracteriza por el paso gradual de las formas geométricas y hieráticas del románico a otras, de tipo plano también, en las que la línea va paulatinamente cobrando valor con lo que las figuras adquieren cierto realismo naturalista. A la vez, la temática va pasando de los simbolismos del Apocalipsis a las escenas de la vida de Jesús, la Virgen y los Santos. Este estilo, que perdura hasta mediados del siglo XIV, encontró su más amplio desarrollo en Aragón, debido a lo avanzada que en este reino se encontraba la Reconquista.

Las pinturas a que nos referimos, realizadas al temple, pueden fecharse hacia 1200 y, parte de ellas, están bastante estropeadas debido a la humedad de la citada cripta. Realizadas con trazo rojo y con el color bastante perdido, se inspiran en temas evangélicos con una técnica que recuerda algo la de los miniaturistas del siglo XIII (escenas bajo arcadas tras las que aparecen ciudades fortificadas, etc.). Por su gracia y originalidad resaltaremos las escenas de la Anunciación, Visita de la Virgen a Santa Isabel, Epifanía y un Apostolado con algunas figuras francamente interesantes. Ocupa el fondo de la cripta un Salvador en actitud de bendecir, de trazo bastante ingenuo e imperfecto. En el estilo de este «Maestro de Jaca» se advierte «falta de elementos arquitectónicos de tipo gótico, aunque en los plegados se señala la búsqueda de naturalidad y la eliminación del trazo ornamental, novedades que en Francia ya contaban con décadas de existencia». (J. Gudiol).

Urriés: uno de los conjuntos más interesantes de este flamante Museo es el constituído por los murales, realizados al fresco, que proceden de la ermita de San Esteban Protomártir de Urriés (al norte de las Cinco Villas), pertenecientes al pleno desarrollo del «estilo lineal» (siglo XIII). Su autor, cuya obra se ha reconocido también en la vieja catedral de Roda de Isábena, se caracteriza por lo alargado y expresivo, así como por el desenfado y hasta cierto sentido del humor, de sus figuras, de colorido limpio y audaz. En la bóveda del ábside había un Pantocrátor con Tetramorfos del que quedan pocos restos. En el paremento cilíndrico del mismo representó una serie de vivaces escenas alusivas a la Creación y Nuevo Testamento. A la primera serie pertenecen las referentes a la creación de Eva, en que ésta aparece

35. *Benedictinas de Jaca: «Epifanía».*

36. *San Esteban de Urriés: «La tentación de Eva» (s. XIII).*

37. *Urriés: «El Prendimiento» (s. XIII).*

bailando ante su «costilla», motivo regocijante y absolutamente inédito en la iconografía cristiana. No menos audaz es la representación de la Tentación en que se conjugan el desenfado, la ingenuidad y el realismo más encantadores que pueda imaginarse: «es verdaderamente un caso extraordinario de pintura viva, de pintura actual, de pintura que no ha mejorado en ningún momento del mundo» (J. Gudiol). En la Expulsión del Paraíso el tradicional ángel de flamígera espada está substituído por el propio Creador. En el ciclo evangélico tiene una gran fuerza y originalidad la escena del Prendimiento en la que los sicarios de Judas visten atuendos militares ranciamente medievales. Ni carecen tampoco de encanto, ni mucho menos, las imágenes de la Anunciación, Visitación, Tentaciones de Cristo, Ultima Cena y Crucifixión. Terminemos con unas palabras del repetidamente citado J. Gudiol: «la obra maestra, quizá la obra más sorprendente de toda esta colección de frescos, son las pinturas de Urriés.»

Osia: entre los conjuntos más notables y de más reciente incorporación se encuentran las pinturas que decoran el ábside y presbiterio, perfectamente reconstituídos, de la ermita de San Juan Bautista de Osia, municipio situado unos veinticinco km. al SO. de Jaca. Este completísimo ciclo mural es una obra maestra del «estilo lineal» y puede datarse en el siglo XIV. Son muy de destacar por su profusión y variedad las orlas que se intercalan entre los paneles figurativos. El dibujo, realizado con trazo rojo, es muy complejo y acabado. En el color predominan los ocres, en gran parte debido a la desaparición de otros colores como consecuencia de haberse aplicado encima de ésta otra decoración mural de tipo renacentista en el siglo XVIII, de la que aún se advierten restos.

En la parte superior del cascarón del ábside, y enmarcada en mandorla, vemos una Coronación de la Virgen muy del gusto de los autores italianos del «trecento», a cuya época precisamente corresponden estas pinturas. A los lados están los símbolos del Tetramorfos y querubines. La parte inferior de esta bóveda está dividida en doce compartimientos con un completo Apostolado. En el paramento cilíndrico del ábside y a ambos lados del ventanal hay diversas escenas referentes a la vida y martirio de Santa Lucía, de gran vivacidad plástica y quizá lo mejor conservado de este conjunto. El tramo recto del presbiterio y su correspondiente cañón están divididos horizontalmente en cuadros rectangulares en que se efigian una serie de profetas agrupados por parejas y San Pedro y San Pablo en los tramos verticales.

Escó: de las pinturas al temple que decoraban el ábside de la iglesia de San Miguel Arcángel de Escó no se ha podido salvar más que la mitad inferior de un Pantocrátor enmarcado en una mandorla sobre una gruesa y decorada cenefa que corría a la altura de la parte superior del vantanal del ábside. Su ejecución puede fijarse entre finales del siglo XIII y principios del XIV.

Cerésola: son muy abundantes en el Museo, en el que se exhiben en diversos puntos, las pinturas que decoraban la iglesia de Santa María de Cerésola, en el Serrablo (comarca esta tan desconocida en general como rica en obras de arte prerrománicas y románicas). Están ejecutadas al temple y deben datar de los siglos XIII y XIV, siendo obra de más de un autor. Su estado de conservación es, en general, muy deficiente. Pertenecen a un arte lineal muy avanzado y su autor demuestra en las composiciones una acusada preocupación anímica, siendo numerosas aquéllas en que aparecen repre-

38. *Conjunto de los frescos de Urriés.*

39. *Osia: detalle del ábside, con dos profetas.*

40. *Abside de San Juan Bautista de Osia (s. XIV).*

41. *Osia: una escena del martirio de Santa Lucía.*

sentaciones de las almas en relación con su destino final.

En el cascarón del ábside se efigia la Coronación de la Virgen enmarcada en mandorla, entre los símbolos de los Evangelistas. El resto del ábside lo ocupan numerosísimas escenas de la vida de la Virgen y de su intervención en relación con las Postrimerías (estas últimas recuerdan la temática de las «Cantigas»). Aunque no muy reconocible, se conserva también un Pantocrátor enmarcado en orla circular.

Orús: también está en el Serrablo el pueblecito de Orús, de cuya iglesia de San Juan Bautista proceden esta serie de pinturas, bastante mal conservadas. Se trata de un ciclo narrativo dedicado a la vida del Precursor y fechable en el siglo XIII. El dibujo es bastante rudimentario y los colores más bien pobres, con predominio de los rojos.

Ipas: el ciclo pictórico más «moderno», por ahora, de este museo data de los siglos XIV y XV y procede de la iglesia de Santa María de Ipas, localidad inmediata a Jaca. Muy llamativo, de colores vivos y bien conservados y trazo ingenuo es un panel en que aparecen una Virgen sedente con el Niño en sus brazos, ante quienes se presenta San Juan Bautista como «introductor de embajadores» del donante y su familia (siglo XV).

De un artista anterior, y con mucho mayor dominio de la técnica es otra serie de paneles en los que prácticamente han desaparecido los colores debido, en parte, al ennegreciemiento del nitrato de plata que contenían lo que ha producido un efecto bastante curioso. Destaquemos la composición de los Desposorios de la Virgen, netamente gótica y de precioso dibujo, sobre fondo de estrellas. Peor conservado está un Calvario en que el citado efecto de enne-

42. *Santa María de Cerésola: detalle del «Buen Ladrón» (s. XIV).*

grecimiento hace resaltar aún más su estilizada línea. Estos bellos frescos ponen brillante broche final al ciclo jaqués tan espléndidamente representado aquí.

Para un próximo futuro se cuenta con incorporar a esta estupenda colección los conjuntos murales de *Ordovés* (de los siglos XIV y XVI), *Concilio* (siglos XIII a XIV), *Huértalo* (siglo XVI) y *Santa María de Iguácel* (fines del siglo XV).

Otros objetos de interés del Museo: no sólo son frescos medievales lo que hay en este espléndido Museo, aunque ya sería suficiente. Destacaremos, dentro del sector dedicado a estos, una estupenda reja románica, restaurada en 1636, y que anteriormente cerraba la Capilla Mayor. Aproximadamente encima de ésta destaca sobre la blancura del muro un precioso Crucificado de tamaño natural y tallado en nogal, admirable por el gran realismo de su cabeza, manos y pies, obra de un románico tardío (siglo XIII).

Es muy notable el retablo de la Asunción (siglo XVI), procedente de *Paternoy*, con catorce buenas tablas y un bajorrelieve central de la Asunción. También tienen interés los retablos, así mismo renacentistas, originarios de los pueblos de *Polituara, Cenarbe* y *Escó*. Mencionaremos, para terminar, dos Vírgenes góticas del siglo XIV, dos capiteles románicos de *Arbués*, una preciosa casulla (siglo XVI) de *Búbal* y una curiosa sarga del siglo XVIII de *Bescós de Garcipollera* entre lo más interesante.

43. *Santa María de Ipas: «Los Desposorios de la Virgen (s. XV).*

44. *Ipas: La Virgen, San Juan Bautista y la familia del donante (s. XIV).*

46. *Museo Diocesano: Cristo del siglo XIII procedente de San Lorenzo de Ardisa.*

Museo Diocesano. Virgen procedente de Cenarbe (s. XVI).

EL SEPULCRO DE DOÑA SANCHA

El monasterio de las Benedictinas (las «Benitas» como las llama el pueblo) se encuentra en lo que antiguamente era iglesia del Salvador y San Ginés. Esta tenía dos plantas, cada una dedicada a uno de los titulares (de la primera, hoy cripta, proceden los frescos del Museo Diocesano) y estaba emplazada en la parte más antigua de la ciudad, la Villa Regia. Así lo confirman los escasos vestigios de muralla que se conservan, únicos de Jaca, y el gran número de restos de antiguas construcciones que han aparecido al hacer los cimientos de una Residencia anexa. En el templo superior sólo se conserva una pequeña portadita románica pues los muros y la torre son del siglo XVI.

Aquí se trasladaron en 1555 las religiosas del monasterio de Santa María, del vecino pueblo de Santa Cruz de la Serós. Este había sido fundado en 992 por el conde Sancho Garcés y su mujer doña Urraca y restaurado en el siglo XI, dentro ya del castillo románico, por su sobrina doña Sancha, hija de Ramiro I y viuda del conde Raymond de Toulouse, que fue abadesa del mismo. Y allí profesaron también sus hermanas Urraca, desde muy niña y Teresa, viuda del conde de Provenza, y allí fueron enterradas las tres y olvidadas por sus hermanas de religión al trasladarse a Jaca. Hasta que en 1662 la abadesa doña Jerónima Abarca remedió el entuerto trasladando solemnemente a esta ciudad los restos de la fundadora de doña Sancha y de doña Teresa, utilizando para ello el sepulcro que ordenó labrar Pedro I para la segunda, fallecida en 1097, y depositándolo en el centro de la iglesia con una leyenda recordatoria de la efemérides.

En un rincón, al fondo de la iglesia, puede admirarse hoy esta joya de la escultura románica de todos los tiempos que completa la impar muestra que de este arte ofrece Jaca. Su anónimo autor, al que se conoce como «Maestro de Doña Sancha», ha dejado otras obras en la catedral, Santa Cruz de la Serós y San Pedro el Viejo y se caracteriza por la sutileza de las ropas de sus personajes, para destacar mejor su anatomía, y las redondeadas caras de los mismos, siendo esta su obra maestra. En la cara anterior esculpió tres escenas: a la izquierda y bajo una arcada aparece doña Sancha revestida de pontifical entre dos religiosas, una con un libro y otra con un incensario; en el centro, dos ángeles sostienen una mandorla con una representación del alma de la difunta; a la derecha, bajo otra arcada, se ve a doña Sancha con sus dos hermanas Urraca y Teresa a los lados y en segundo plano. En la cara posterior, de otro autor, se representan dos jinetes en actitud opuesta y Sansón desquijarrando al león. En uno de los frontales hay un bellísimo crismón, el mejor conocido después del de la catedral, y en el otro dos grifos enfrentados. Muy notable también es una talla románica de piedra del Salvador con el Evangelio en la mano izquierda, que hoy preside el refectorio de las religiosas. Nada queda en cambio del pequeño museo que poseían y que se dispersó en manos particulares. Quizá se reconstituya aprovechando para ello la cripta...

EL PALACIO EPISCOPAL

En el Palacio Episcopal, sencilla construcción de 1751, se custodia una muy estimable serie de pinturas y tallas, procedentes en su mayoría de iglesias ruinosas de la Diócesis, y que son el complemento ideal de las que se exponen en el Museo Diocesano.

En la escalera principal hay dos cuadros de grandes dimensiones de Carducci, con escenas monacales, procedentes de la Cartuja del Paular (Madrid). Prácticamente el resto

47. *Benedictinas de Jaca: detalle del sepulcro de Doña Sancha (s. XII) en que aparece ésta entre sus dos hermanas.* ▶

48. *Iglesia de Santiago: capitel de la Catedral que sostiene la pila benditera.*

de las obras ocupan las salas de la planta noble. Es muy notable una pintura sobre tabla de la Virgen con el Niño entre dos ángeles que tañen laúdes, obra de Juan de la Abadía (fines del siglo XV) que vino de *Senegüé.* Del mismo autor y procedencia es otra tabla en que se representan San Sebastián y San Juan. Del hijo del anterior y originarias de *Concilio* son otras tres tablas de tipo arcaizante y hierático que formaban parte de un retablo dedicado a la Virgen. La más notable es la central en que aparece la Virgen, de pie, con el Niño y una manzana en la mano derecha. En otras representó una Anunciación, muy estilizada, y un Calvario. Hay otras dos tablas pertenecientes a un retablo de *Yeste,* de autor desconocido y fechables en pleno siglo XV. En una se efigia Santa Ana, la Virgen y el Niño y en la otra una preciosa y bien compuesta Epifanía. También de *Yeste,* y ya de principios del siglo XVI, son otras dos tablas, una con la Virgen y el Niño con una Santa y otra con Santa Bárbara y Santa Orosia.

49. *Museo Diocesano: detalle de una casulla del siglo XVI procedente de Búbal.*

De *Bagüés* vino un retablito con dos pinturas de San Pedro y San Pablo (siglo XVI) y de *Senegüé* otro de la misma época, con doseletes y guardapolvos góticos, compuesto por una serie de tablas dedicadas a la vida y martirio de San Andrés. Es también interesante una pintura de San Miguel Arcángel (fines del siglo XV) originaria de la parroquia de *Ruesta,* y aún más otra de San Vicente Mártir de la misma época y bastante bien conservada y que se trajo de *Larués.* Sin autor ni procedencia conocidos, hay, por fin, un precioso tríptico de gran calidad y técnica plenamente renacentista en que destacan por su perfección las efigies de Santiago el Mayor y San Juan Evangelista (siglo XVI).

Entre las tallas mencionaremos una Virgen románica sedente, con el Niño sentado en su regazo, procedente de *Artieda de Aragón* y otra, románica tardía, con un rostro de gran naturalidad, de *Yebra de Basa.* Por fin, de la ermita de San Lorenzo de *Ardisa* es un estupendo Cristo románico (siglo XIII) de tamaño mayor que el natural y con una interesantísima cabeza.

50. *Benedictinas de Jaca: «El Salvador» (s. XII).*

51. *Palacio Episcopal: «San Juan Evangelista» (s. XVI).*

TESTIMONIOS DE UNA EJECUTORIA

Hace un siglo escribía de Jaca José M.ª Quadrado: «...parece aquél un museo de todos los géneros arquitectónicos, aunque en miniatura por las reducidas dimensiones de los edificios...». Mucho ha desaparecido desde entonces: casonas con torres fuertes, como las de Bervedel y Hugo, con bellos patios góticos; las suntuosas chimeneas como la que litografiara Parcerisa (la última pasó al Museo de Pedralves); portadas, murallas; la famosa «torre de la Moneda» (parte de éstas y donde se batían los sueldos jaqueses), etcétera, Aún se conserva, sin embargo, parte de todo aquello, como una ventana gótica y otras dos renacentistas que hay en la Plaza del Mercado y las numerosas portadas, modestas pero vetustas, que salpican todas las calles de la ciudad. Y también otras piezas de más envergadura, a las que nos referiremos brevemente:

La *Casa Consistorial* es un noble edificio renacentista, muy bien conservado, construído entre 1544 y 1546 por los maestros vizcaínos Domingo Lasarte, Juan de Aldariagua y otros. En este bello ejemplar del plateresco aragonés se custodian diversos objetos de interés tales como el «libro de la Cadena», recopilación de documentos referentes a la ciudad y datados entre 1063 y 1323; el pendón de la misma (siglo XVII); la granalla de damasco del prior de los jurados, etc.

Otra buena portada plateresca, a pesar de ser de fines del siglo XVII, es la de la *iglesia del Carmen.* Tiene forma de arco triunfal con columnas toscanas de labrados fustes. En el interior hay un retablo barroco muy aceptable.

Como toda ciudad del *Camino*, Jaca tiene también su *iglesia de Santiago.* Se dice anterior a la conquista musulmana y reconstruída en el siglo XI y, posteriormente, en el XVIII. De la otra primitiva subsisten el muro norte, con señales de los huecos que tuvo, el atrio (bajo la torre, como en la catedral), hoy en funciones de presbiterio, los ábsides (ocultos a los pies de la actual iglesia) y una hermosa torre con sendos ventanales ajimezados de herradura en sus caras norte y sur y que recuerda la de algunas iglesias mozárabes del Serrablo, de las que es contemporánea. Desgraciadamente, las edificaciones anexas impiden prácticamente su contemplación. En el interior del templo hay un precioso capitel románico, al que ya se ha aludido, que actúa hoy como pila benditera.

52. *Palacio Episcopal: Talla de la Virgen, del siglo XIII, procedente de Yebra de Basa (?).* ▶

53. *Fachada principal del Ayuntamiento (s. XVI).*

54. *Portada de la iglesia del Carmen (s. XVII).*

55. *Ermita románica de Sarsa, «trasplantada» a Jaca.*

La *Torre del Reloj* o *de la Cárcel* es una construcción prismática originaria del siglo XIII, con ventanales góticos del XV, situada en el antiguo emplazamiento del palacio real. Debe el primero de sus nombres a un reloj moderno que se suprimió hace un par de años al restaurarla. Y el segundo a la proproximidad de la cárcel, de la que ya se tienen noticias desde 1238. En el siglo pasado estaba rematada por un chapitel de hojalata. Entre las obras civiles hay que mencionar el *puente de San Miguel* (monumento nacional), con bellas arcadas góticas, utilizado por los peregrinos jacobeos para atravesar el Aragón. Aguas arriba de este río hay otro puente medieval, completamente cubierto de vegetación, junto a la ermita de San Cristóbal.

El más reciente de los monumentos es el erigido a la Jacetania en la plaza de Biscós, detrás de la catedral. Aún más reciente, por su instalación, es la vieja ermita románica de *Sarsa* (al pie del Oroel), que se ha reconstruído en la Avenida del Oroel.

LA CIUDADELA

Capítulo aparte merece la imponente ciudadela de Jaca, que con la de Lieja, de la misma época, son los dos únicos ejemplares completos que se conservan en Europa. Y además ha sido recientemente restaurada con gran acierto gracias a la feliz iniciativa y desvelos del general Gómez Oliveros y los capitanes Osset (†), Cámara y Funes.

Esta gran construcción militar, llamada *castillo de San Pedro*, se levantó por iniciativa de Felipe II quien, en 1595, mandó expropiar una gran extensión del Burnao con este fin (aquí estaba la iglesia de Nuestra Señora del Burnao y el palacio de los canónigos regulares de Santa Cristina de Somport, que desde los Pirineos habían trasladado aquí su residencia última en 1558). Desde esta parte, al oeste de la ciudad, se domina el acceso a la frontera. Intervinieron en su decisión los desórdenes que se produjeron en Aragón (que le costaron la pérdida de sus Fueros) a raíz de la fuga de Antonio Pérez y su deseo de proteger la frontera del Bearn.

La obra no se concluyó del todo hasta 1641, reinando Felipe III, cuyo escudo figura a la entrada de la fortaleza.

Con el desarrollo de la artillería los aspectos táctico y estratégico de la guerra defensiva experimentaron una esencial modificación que se tradujo en nuevos sistemas en el arte de fortificar, radicalmente diferente al empleado en los castros romanos y los castillos medievales. La «idea de defensa» se convierte en un problema de regla y compás. Por eso son tan parecidas entre sí todas las ciudadelas de ese período. Su misión era parecida a la de las torres del Homenaje: constituir el último reducto de defensa de una plaza fuerte. También se utilizaban para dominar ciudades propensas a los levantamientos. Esta de Jaca es de

56. *Ingreso a la Ciudadela.*

planta pentagonal, de doscientos sesenta metros de lado, con sendos enormes baluartes triangulares en los vértices, dotados de garitones en las esquinas, todo ello rodeado por un gran foso y muralla. La entrada está protegida por puente levadizo. Los cuerteles son paralelos al interior de la muralla, con arquerías de medio punto y separados entre sí para dejar libre el acceso a las casamatas. Al principio éstas eran abiertas para poder batir los lienzos correspondientes, pero con el incesante perfeccionamiento de la artillería se cerraron en los siglos XVIII y XIX. La fortaleza alberga también una iglesia del siglo XVII, en substitución de otra más antigua, con portada barroca de columnas salomónicas.

En la guerra de Sucesión, Jaca y su Ciudadela tomaron parte por los Borbones, al contrario que el resto de Aragón, por lo que Felipe V otorgó la lis al escudo de la ciudad y el título de «Fidelísima y Vencedora». De 1809 a 1814 la fortaleza estuvo ocupada por las tropas napoleónicas hasta que fueron expulsadas por Espoz y Mina, que trató caballerosamente a los vencidos. En las guerras carlistas se mantuvo fiel a Isabel II no pudiendo ser ocupada por sus adversarios. Por fin, el 12 de diciembre de 1930 fue escenario del famoso pronunciamiento del capitán Galán.

EL MUNICIPIO DE JACA

Con ser tantos los motivos del más alto interés que encierra Jaca, estos no se limitan a su casco urbano sino que se prolongan por todo el ámbito de su término municipial, cada vez más extenso como consecuencia de la lógica concentración de recursos que impone nuestro tiempo. Esbozaremos, aunque sobre ascuas, algunos de los puntos más característicos.

El primero, sin dudarlo, es el monasterio de *Santa María de Iguácel*, al fondo del valle de Garcipollera, y del que no subsiste más que la iglesia, y ello a duras penas. Fue descubierta en 1928 por el benemérito historiador americano Kingsley Porter (¡los americanos descubriendo España...!). Es de orígen mozárabe (siglo X), a cuya época pertenecen los muros de la nave y la torre y fue restaurada en 1072 por el conde Sancho Galíndez, preceptor de Sancho Ramírez, y su mujer doña Urraca, quienes lo donaron en 1080 al de San Juan de la Peña. A fines del siglo XII fue ocupado por monjas cistercienses.

De la citada restauración del siglo XI procede el ábside, la portada occidental, las columnas y capiteles y una bóveda de cañón que se hundió posteriormente (aún se ven sus arranques a través de los boquetes de la falsa que la substituyó). El exterior del ábside, de tambor, está dividido en tres partes por dos contrafuertes prismáticos. En cada parte se abre un ventanal de arco de medio punto sobre columnas con capiteles. A la altura de los cimacios corre una sencilla imposta. En el interior tiene cinco arcos, alternativamente ciegos y «abiertos». El central está oculto por el consabido altarcito barroco. Todo el interior de la iglesia está cubierto por unas malas pinturas de principios del siglo XIX que, en el ábside, ocultan otras, bastante interesantes y bien conservadas (a juzgar por las catas que se han hecho), de finales del siglo XV. La antigua portada principal, en el hastial de poniente y hoy cegada, consta de tres archivoltas, un baquetón entre dos doveladas, rodeadas por una cenefa ajedrezada, que descansan alternativamente sobre jambas y columnas con capiteles decorados. Sobre el tejaroz una inscripción reza: HEC EST PORTA DOMINI VNDE INGREDIVNTVR FIDELES IN DOMVN DOMINI, QVE EST EGLESIA IN HONORE SANCTA MARIE FVNDATHA IVSSV SAN-

57. *La ermita de Santa María de Iguácel (s. XI), en el valle de Garcipollera.* ▶

58. *Santa María de Iguácel: detalle de los frescos del ábside (¿s. XV?), ocultos por pinturas posteriores.*

ZIONI COMITIS EST FABRICATA VNA CVM SVA CONIVGE NOMINE VRRACA IN ERA T CAENTESIMA XL EST EXPLICITA REGNANTE REGE SANCIO RADIMIRIZ IN ARAGONE QVI POSVIT PRO SVA ANIMA IN HONORE SANCTE MARIE VILLA ARROSSA NOMINE VT DET DOMINVS REQVIEM EVM AMEN. En la cara meridional de la pilastra la inscripción sigue: SCRITOR HARVM LITTERATVRVM NOMINE AZENAR MAGISTER HARVM PICTVRARVM NOMINE CALINDO GARCES. Aún más arriba, en el mismo hastial, hay un ventanal de medio punto sobre columnas con capiteles e imposta. Es muy curioso el alfiz invertido que hay por encima de la imposta que une los dos ventanales de la fachada meridional.

Las esculturas de este Galindo Garcés, primer escultor románico hispano que conocemos por su nombre, son un precoz y popular trasunto de las de Jaca. Son también muy de notar la original reja románica (siglo XII) que cierra el presbiterio, con remates de las espirales siempre diferentes, y una talla en madera de la Virgen con el Niño (siglo XII) que conserva su policromía original (actualmente se custodia en una casa particular de Bescós). Con tantos méritos es de esperar que no se demore por mucho tiempo la restauración de esta pequeña joya pues ya se ha empezado a hundir la bóveda. Habría que desprender los frescos y trasladar la ermita a lugar poblado pues su aislamiento y dificultad de acceso impiden que esté atendida. Y no contamos con tantas obras de esa época fechadas y firmadas como para dejar perder ésta.

Ya le ha llegado en cambio el turno a la encantadora iglesita románica de *Canías*, de sencillo y elegante ábside de tambor y portada con crismón en el tímpano. Lo esperan a su vez las de *Guasillo*, con torre mozárabe, *Abay*, *Banaguás*, *Barós*, *Navasa*, *Lerés* y *Asiego*, con originales ábsides de arquillos lombardos bajo friso de rodillos cilíndricos, y todas ellas en el término municipal de Jaca.

Como conclusión de estas páginas parece deducirse la evidencia de que ha de ser muy difícil conocer y entender el románico hispano sin pasar por Jaca...

59. *Crismón del sepulcro de Doña Sancha (s. XII).*

BIBLIOGRAFIA

Arnal Cavero, P.: «Aragón en alto», Zaragoza s/a.
Bottineau, Y.: «Les Chemins de Saint-Jacques»; Grenoble, 1966.
Cook, W. W. S. y Gudiol, J.: «Pintura e imaginería románicas», en «Ars Hispaniae», t. VI, Madrid, 1950.
Durán Gudiol, A.: «Huesca», Ed. Everest, León, 1968.
Durán Gudiol, A.: «Huesca y su provincia», Ed. Aries, Barcelona, 1957.
Durliat, M.: «El románico en España», Ed. Juventud, Barcelona, 1964.
Gudiol Ricart, J.: «Pintura medieval en Aragón»; Zaragoza, 1971.
Gudiol Ricart, J.: «Arquitectura Románica», en «Ars Hispaniae», t. V, Madrid, 1948.
Iñíguez, F.: «La catedral de Jaca y los orígenes del románico español», en «Pirineos», n.º 83-86; Jaca, 1967.
Iñíguez, F.: «La escatología musulmana en los capiteles románicos», en «Príncipe de Viana»; Pamplona, 1967.
Oliván, F.: «Los monasterios de San Juan de la Peña y Santa Cruz de la Serós»; Zaragoza, 1969.
Quadrado, J. M.: «Recuerdos y Bellezas de España» *(Aragón)*, 1844 y 1937.
Rhalves, F.: «Cathedrales et Monastéres d'Espagne»; Grenoble, 1965.
San Vicente, A. y Canellas, A.: «Aragon Roman», Ed. Zodiaque, 1971.
Ubieto, A.: «El románico de la catedral jaquesa y su cronología», en «Príncipe de Viana». Barcelona, 1964.

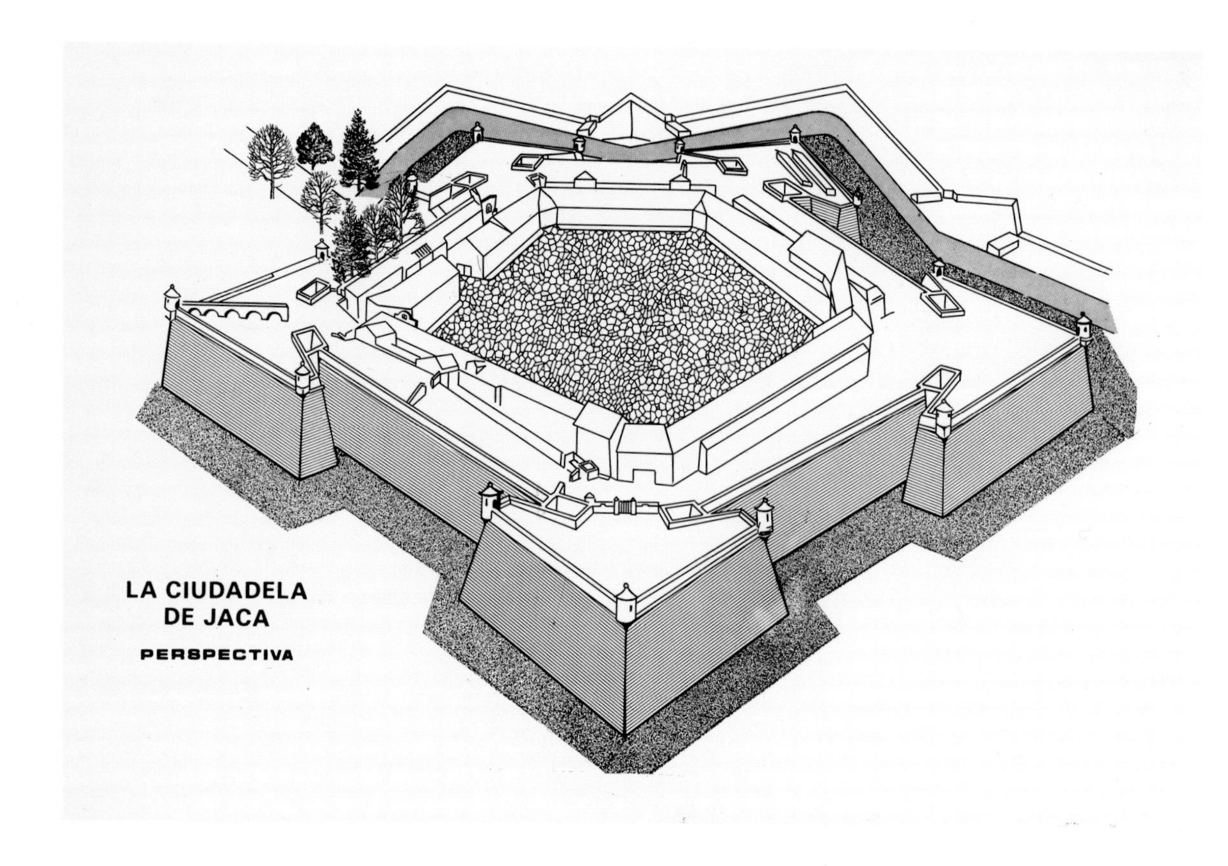

INDICE